JN097179

句集

火恋し

Hikoishi
Otake Asako

大竹朝子

東京四季出版

火恋し*目次

装幀　髙林昭太

句集

火恋し

ひこいし

春の帆

春の帆の遠く航こうかゆくまいか

塗りたての白で初蝶あらはるる

まなざしの物狂ひとも享保雛

古雛の頰のかがやき増すばかり

水の色いまだ動かず榛の花

牧牛の涎の光る蝶の昼

日中には日中の魔性桜満つ
咲き満ちて魂のなき桜かな

お日さまに飽きてたんぽぽ絮となり

菜の花にまみれて蝶は黄となんぬ

木洩日の瑞々しさよ著莪の花

汚れてはならじ白木蓮散るときも

頭角を現すはどの葱坊主

深追ひをしたるは猫の恋の闇

大いなる句碑のまなかひ巣立鳥

天涯に如何な幸ある鳥雲に

おとがひの綺麗な少女夏来る

かの人を恋ふ桑の実の熟るる頃

悪茄子の花いぢらしく咲きにけり

横顔の物憂き螢袋かな

紫陽花の初心の白といふべかり

蕾より散り際が好き薔薇真紅

こんこんとおのれ癒して泉湧く

あめんぼの恋の叶ふも叶はぬも

夕されば白百合の丈顕るる

百合の闇わたくしの闇融けはじむ

八月の海のプラチナ光りかな

サーファーを放り上げたる波頭

恍惚と日中の蓮のひらききり

恋螢滝振り切つて立ち昇る

滝の中貫く滝のありにけり

大滝の音がすなはち山の音

十薬の芯の十字の真かな

捩花の願ひ一つに咲き登る

怖いものなくて唖蟬闇を飛ぶ

人知れず夜の唖蟬身をよぢり

真つ直ぐに心を保つ涼しさよ

なにも被ぬことの美し夏の月

身じろげば山動きけりハンモック

葛切をすすれば遠き山の音

まつさらな風を捉へし捕虫網

あをあをと槻の下闇乳母車

蛇苺ほどの秘密を持ちし頃
深海の色に冷えたるラムネ壜

みづからの容は知らず海月舞ふ

いさかひも上手に出来て鴨の子は

瑠璃揚羽天降りルオーの礼拝堂

モンパルナス想ふマロニエ散る頃は

コローの絵のやうに森には秋が来て

蜻蛉飛ぶどこもかしこも未知の空

稲の秋土偶ゆたかな乳房持ち

霧走る松虫草を置き去りに

旅恋へば切なきまでに鰯雲

茄子捥いで掌に紫の冷え残る

遠くまで風はひといろ秋桜

啄木鳥や森の教会開いてゐる

鷺翔てば風より白し水の秋

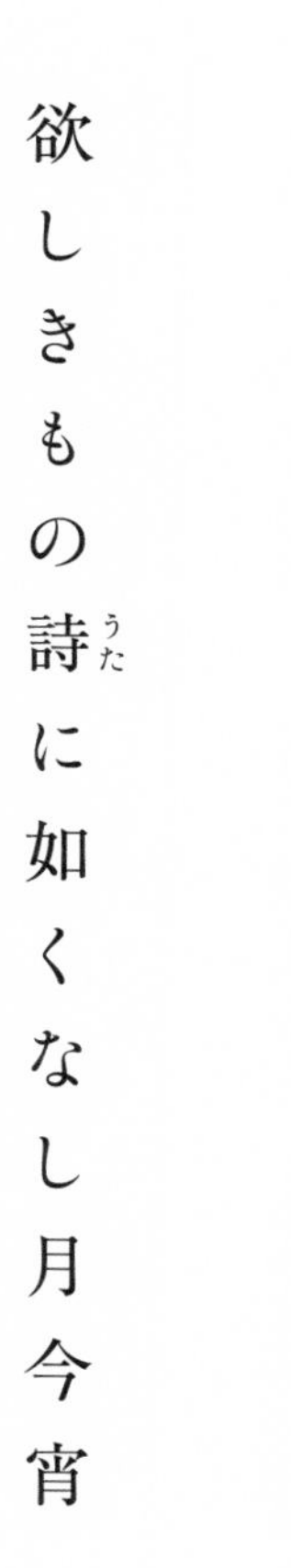

欲しきもの詩（うた）に如くなし月今宵

ジェラシーてふ美しすぎる秋の薔薇

やせつぽつちの少年に付き牛膝

野分あと億光年の星光る

芒野の海より白く波打ちて

星月夜人に待たるる心地して
淋しさはガレのランプの葡萄色

鵙猛りいづくの国か軍靴鳴る

晩秋の薔薇を愛して人形師

露寒やなにもねだらぬ牛愛し

一人でも二人でゐても露の秋

心優しき狐の童話冬灯

鉛筆の芯やはらかくふゆと書く

遠ざかりゆく人恋し冬の虹

襟立ててコートは女より男

湯豆腐が冷え男ゐて女ゐて

冬の鵙おのれを恃む声絞り

時雨るると手を取り合へる夫婦仏

寒波来るピラカンサスが赤くなる

棘だけの強さとなりて薔薇枯るる

ゴッホ展出でて真冬の日の燃ゆる

下町

俥引しづしづ急ぐ初詣

弓始一矢大きく射損なふ

畳針納めてゆきし男ぶり

芽柳や銀輪かろく俥引

古雛めく女あるじや仏具店

奉納の繭うづたかし一の午

盤石に落ちし椿や利休の忌

水仙のうなじに光ほのかなる

濃紅梅強く張り出す切通し

竹林に百の風音春寒し

思はざる日向がありて梅寒し

濹東の空真澄なる初桜

花筏水の意(こころ)にかたどれる

夕桜水には水のゆくところ

古書市の匂ひなつかし春の宵

千疋屋出できし母娘春ショール

男ぶりとはまなざしの涼しさよ

羅の男連れなり吾妻橋

浅草の茶房小暗き熱帯魚

出目金や昭和の匂ふ喫茶店

姥が池底を晒せる油照

鳶頭ひつそり住めり銭葵

寂れたる狭斜の巷縷紅草

黒塀の見番通り合歓の花

撫牛のまなぶた重し椎匂ふ

鬼灯や古きくらしの真砂町

夕星のごとき花つけ青鬼灯

端つこのせがみ上手の燕の子

洗ひ髪梳きし流し目幽霊図

青嵐静かに鯉の揉み合へる

籐椅子に凭れ滝音引き寄する

着古せしごと紫陽花の花を了ふ

水中花水に疲れし夜もひらく

水槽の縁にすり寄り金魚病む

蹠まで涼しき半跏思惟仏

王羲之の一幅涼し白書院

黒ずんでゆくひまはりに校舎の日

竹落葉おのれの闇へすべり込む

風よりも自由になつて蜻蛉ゆく

木犀の香りいつしかくすみけり

穂を解いて素直になりし芒かな

枯るるべくして火の色の烏瓜

うづくまる獣に残る暑さかな

虫の夜や離れて灯る介護棟

邯鄲の恋玲瓏と翅を摺り
今といふ過去を惜しめり邯鄲は

ここに佇ち月待つ心定まりぬ

下供菊（げくぎく）を押し戴きて老芸妓

幇間の昼の着流し近松忌

きつちりと合はす襟元一葉忌

初音町路地の奥へと懐手

羽子板の鼠小僧は眇なる

羽子板の水のしたたる小悪党

懐炉抱き出世稲荷に詣でけり

黄楊櫛は江戸の粋なり夕霧忌

はんなりとはなびら餅や夕霧忌

自づから輝きはじめ石蕗の花

トロットの少女明眸石蕗の花

雨脚をあしらひきれず寒牡丹

声絞りきつて寒禽翔ちにけり

極月の水は空より張りつめて

多羅葉の実の鮮やかな寒さかな

華奢に在す瑠璃光如来初しぐれ

冬薔薇の毀れさうなる白さかな

枯蓮や滅びゆくもの声あげず

枯るるとは魂のなきねこじやらし

枯れざるも枯るるも愁ひ花芙蓉

典座寮泥付葱の束届く

利休忌や男に適ふ紺の足袋

出稽古の紺の色足袋花川戸

指の暗躍あんかうの袋競り

取り澄ましゐる水鳥の足掻きかな

凍鶴の相愛の息触れ合はず

鶴の脚うすもも色に凍てにけり

横顔に夕日を溜めてかいつぶり

先人の一語かがやく竜の玉

九体寺

狂言の瓜盗人や山笑ふ

蠟燭能果てし湯殿山の月朧

かがやける沖ををろがみ島遍路

手棹繰る妻を恃みの白魚漁

山葵沢水あらたまりあらたまり

花冷の信濃にまみゆ鬼女の絵馬

抜けられぬ白木蓮高き坊小路

すもも咲く北向観音片参り

持仏の間ほとけ坐さず春の闇

歴代の回向柱や涅槃西風

うるはしき春のお朝事吾も善女

先んじて水仙が咲き極楽坊

お忍びの門の門馬酔木咲く
翠巒に藤の瓔珞かけ渡し

下闇や今も遠野に河童棲み

籠の鵜の眼の爛々と逸りをり

すぐりの実ここより虚子の散歩道

金鉱の寂れし島の蚊食鳥

信仰の女人は哀し薄雪草

わたすげやむかし立山女人講

行くほどに風が拓きし花野かな

霧霽れて富士の愁眉をひらきたる

むらさきに暮れたる富士の秋意かな

この峡に星を集めて風の盆

踊り娘の反身美し風の盆

どこまでも風の盆唄たかぶらず

闇に溶けおわら踊りの辻流し
襟足に霧しのび寄る一人旅

石仏の黙して霧に抱かれけり

うそ寒の音なく噴ける硫黄山

南部煎餅商ふ秋の灯を低く

えぞりんだう霧が磨きし瑠璃とこそ

白芙蓉浮かびて夜の祇園かな

高台院秋明菊の丈高く

うつくしや縁切寺の実葛

墨染のよぎりし美男蔓かな

行李干し葛籠を干して鴨日和

剛毛をまだ怒らせて手負猪

霧の扉の開けば紫紺の五色沼

竹伐つて飛び込む山の光かな

祇王寺の燭の小暗き雪螢

道の辺に皇女の御廟冬椿

山よりも深き眠りの磨崖仏

合掌部落消炭色に冬に入る

見通しの奈良井千軒片時雨

箱階段冷たき鐶の手擦れかな

手焙りも京のみやびや皇女の間

掌を当てて冬の温もりエンタシス

森をなす御陵の昏さ冬紅葉

小春日や伊賀の組紐綾美しき

縄文の火の色得つつ榾火燃ゆ

谷戸の風谷戸より出でず枯芙蓉

千枚田千の形に刈り了す

居繰網阿吽の息に鮭囲ふ

闇溜りよりあらはれし冬の濤

浪の花相打つ濤に吹きちぎれ

浪の花めくれ立ちては横つ飛び

古国府の万葉歌碑にしぐれけり

奈呉の江や北国時雨さだめなき

火より濃き鋳物師の里の冬紅葉

鳴いてゐるその数ほどの田鶴の闇

病んでゐて羽搏く田鶴の慣ひかな

尼たりし巴の塚や雪螢

山茶花の白濃くこぼれ無名庵

膳所を経て堅田に泊つも翁の忌

比良比叡ひといろに暮れ鳰の湖

ならまちに狂言道場竹の春

神の庭描きし屏風奈良町屋

白毫もおろそかならず煤払

九体寺の二体は空位山眠る

愛可奈

蘇州 八句

舞ふごとき太極拳や桃の花

舟唄に蘇州の春を惜しみけり

女船頭春の日焼の手漕舟

春寒き運河たつきのもの洗ふ

唄ひつつ蘇州の乙女花菜摘む

おもむろに漕ぐ鷁首船柳絮飛ぶ

京劇の女の柳眉緋桃咲く

屯して刺繍に励む遅日かな

竹秋や島に秀眉の阿弥陀仏

燕来る遠流の島に芝居小屋

大瑠璃のこゑ天空に霊廟に

姫塚は石積むばかり花あやめ

幽かにもをがたま匂ふ雲居御所

麦秋の果ての潮鳴り番外寺

祖谷峪の天空翔けし岩燕

琵琶の滝見上ぐるだにも天近き

玉葱を干してやさしき島言葉

カルストの島の赤土とべら実に

太刀魚のひかりの太刀を競り落とす

離島の灯一つひとつに秋深む

王（おほきみ）の流刑の島の葛の花

野晒しの戦の遺構島すすき

黒潮の沖のタンカー秋霞

淋しらの恋の島唄阿檀の実

「愛可奈」と呼ばれし女や島芙蓉

眉の濃き島の少年蘇鉄の実

ハブ潜みをるや榕樹の棘なる
二間なる謫居の名残島の蟬

棲み捨てし画家の陋屋虫の闇

野路菊や祈りの島のマリア像

蘇鉄の実弾けキリスト復活像

潮錆びし島の教会千日紅

秋潮の揉み合ふ女岩男岩かな

鷹渡る風のかたちを描きつつ

昨日より今日の数見ゆ鷹柱

こぼれ落ちさうな渡りの鴨の数

火恋し

機音のしてゐる一戸小正月

居座機ひびく格子戸名残雪

母恋し節分草の花咲けば

雪晒上布は母の一張羅

郵便車見掛けしのみの雪解村

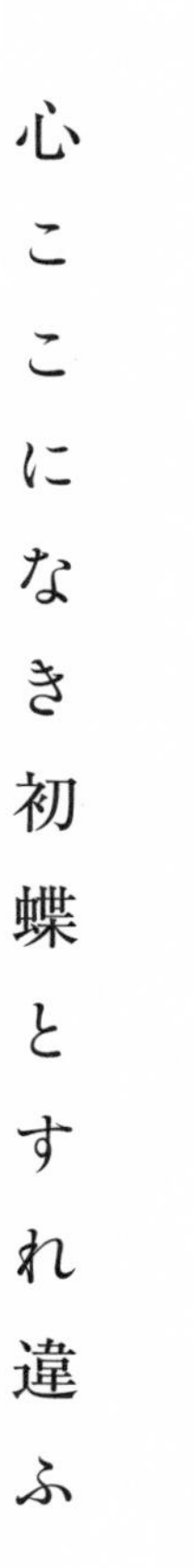

心ここになき初蝶とすれ違ふ

目を伏せて女雛のなにか企める

ねつとりと日差しを絡め八重桜

揺れ止みし枝垂桜の気韻かな

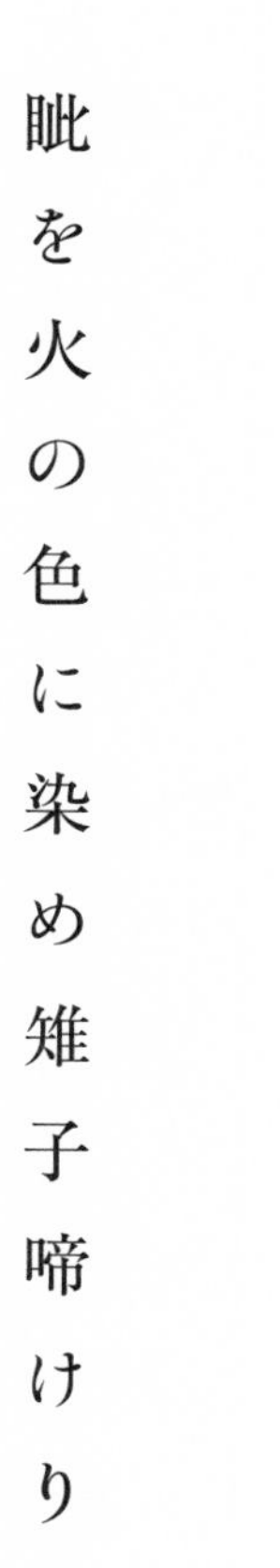

眦を火の色に染め雉子啼けり

更年期我がこめかみに雉子の声

耕すや光の束を鋤き込んで

山焼の山ごと揺らぎはじめけり

花虻の静かに唸る眠気かな

長雨に病みては散りぬ栗の花

清らかに母老いたまひ盆の月

母の寝息また確かむる蛙の夜

ふるさとは桐咲くころか父在さず

今にして父恋ふ桐の花仰ぐ

盆の月父の句集に父のこゑ

秋蝶の白のうすれてゆくばかり

消えなんと吹かれつりがねにんじんは

稲は穂に風がさらさらしてきたる

蛇誘ふ身を傾けて女郎花

虫喰ひもしみも美し露葎

通草蔓引けばかすかに山の声

二歩あゆみ息継ぐ母や草の花

水のごと響きて越の今年酒

六畳の駒子の置屋火恋し

露けしや駒子遺愛の三味の棹

初雪が来ると栃の実煮る匂ひ

星蒼く山国冬に入りにけり

トンネルは雪国の扉を開く闇

立冬の影をこごめて藁ぼつち

魚野川ささくれ立つや雪が来る

鯖色に照りて真冬の魚野川

深雪川蛇行とはかくうつくしき

雪来ると杼を滑らせて紬織る

雪しづりして機音に狂ひなき

爪で績むからむし織や雪籠

嵩なせる苧績みの糸や雪籠

雪焼の子と乗り合はす只見線

雪晴の筏全身もて軋む

隠れ滝主峰の白さもて凍つる

歯軋りのまま吊るされて鮭乾び

水鳥も波濤も黝き日本海

底力溜め冬濤の立ち上る

寒の烏賊琥珀光りに耀を待つ

貧しくも楽しき戦後鯨汁

地吹雪の有象無象を引つ攫ひ

崖氷柱月光よりも鋭かり

雪卸半ばに四囲の山暮れて

やはらかく息してをらむ雪螢

濁りなき越の美禄や雪籠

吟醸酒透きとほりゆく六の花

かまくらに母さん役が餅を焼く

雪竿の目盛とつぷり暮れにけり

のしかかる雪の墓山毘沙門堂

捨てられぬ雪の故里母在れば

綿入の藍の刺子の肌触り

寒の水含めば雪の甘さかな

麴漬歯にしむ寒に入りにけり

身じろいで己に還る寒の鯉

寒の鯉あるとき淡く触れ合ふも

寒の鯉腹すり合ひて岐れけり

雪の闇浮きては沈む夜汽車かな

あとがき

本書『火恋し』は、平成十年の第一句集『十月のサルビア』に次ぐ第二句集です。

第二句集の出版など思ってもおりませんでしたが、長い間俳句を作り続けてきた自分を振り返ってみたいという思いに至りました。

令和元年に古稀を迎えたことと、「若葉」結社賞受賞という慶事もあり、「若葉」入選句の中から自選で三百二十六句を選びました。

平成十年以後の二十年間は、郵政民営化に伴う職場の変化、六十歳での定年退職など様々ありましたが、その後もずっと仕事と共に歩んで参りました。その間、人生の相棒として私をしっかりと支え続けてくれたのが俳句でした。

年齢と共に深くなる故郷新潟への想いを胸に、これからも宝物である俳句と共に歩んでいけたらと願っております。
「若葉」主宰鈴木貞雄先生には、私の遅々とした歩みを暖かく見守っていただき、心から感謝申し上げます。これからも先輩、句友のみなさまとの絆をより大切に精進を重ねたいと思っております。

令和二年二月一日

大竹朝子

著者略歴

大竹朝子（おおたけ・あさこ）

昭和24年2月1日　新潟県南魚沼市生れ

昭和54年　朝日カルチャーセンター「清崎俳句教室」入門

昭和55年　「若葉」入会

平成元年　艸魚賞受賞　「若葉」同人

　　　　　公益社団法人俳人協会会員

平成10年　句集「十月のサルビア」

令和元年　若葉賞受賞

現住所　〒135-0016 東京都江東区東陽 2-3-5-617

令和四季コレクションシリーズ8

句集 火恋し ひこいし

令和二年四月八日 初版発行

著 者●大竹朝子

発行人●西井洋子

発行所●株式会社東京四季出版
〒189-0013 東京都東村山市栄町二-二二-二八
電 話 〇四二-三九九-二一八〇
FAX 〇四二-三九九-二一八一
shikibook@tokyoshiki.co.jp
http://www.tokyoshiki.co.jp/

印刷・製本●株式会社シナノ

定 価●本体二五〇〇円+税

ISBN978-4-8129-1007-8